LES OISEAUX NICHEURS DE MAYOTTE

Pierr

COLLECTIVITÉ DÉPARTEMENTALE DE MAYOTTE

L'auteur remercie pour leur participation à divers titres :

AH TIM Jean Yves, BRETAGNOLLE Vincent, CHAPPUIS Claude,
CHOUTEAU Patrick, CORDIER Sylvain, GUESTHEME Thomas,
DE HEAULME Jean, DUBIEF Michelle, ESNAULD Émile,
FANOMEZANTSOA Andrianiria, LANGRAND Olivier,
MALNOURY Marie Aurore, MEYER Christian, NANDRASANA Farezy,
PICHARD Jean Claude, PUCCIO Isabelle, PICOT Jean-Pierre,
RAFIDISON Jean Émilien, RAKOTOVAO Daniel, RAMAMON Mosa,
RAMROKOTO Julien, RATIANTSIHOARANA Jacky,
RATSISAKANANA Maurice, SALAMOLAR Marc, ZOTTIER Richard.

place mariage, BP 74, 97600 Mamoudzou, Mayotte
et **Délégation à l'Environnement**,
ZI Kaweni - BP 20 - 97600 Mamoudzou, Mayotte.

Texte : **Pierre Huguet**
Aquarelles : **Claire Dardel**
Illustrations scientifiques : **Pierre Huguet**
Maquette : **Archipel**
Dépôt légal : décembre 2002
ISBN : 2-908301-39-3

contact auteur : huguet.dubief@wanadoo.fr

www.editionsdubaobab.com
www.archipel-mayotte.com

Pour protéger, il faut aimer.
Pour aimer, il faut comprendre.
Pour comprendre, il faut connaître.
Pour connaître, il faut découvrir.

Ce guide et ce disque vont t'aider à partir à
la découverte des principaux oiseaux de Mayotte.
souïmanga, zosterops, drongo... n'auront
plus de secrets pour toi. En balade avec tes parents,
tu pourras les surprendre et leur faire
découvrir pourquoi le Corbeau pie vit
près des plages, le Faucon pèlerin près
des falaises et le courol près des
vieux arbres. Mieux, tu pourras
attirer certains oiseaux dans ton jardin
et même, peut-être, les faire nicher
près de ta maison.

Maintenant, partons à la découverte.

Sommaire

Livre

Disque compact (numéros)

Où sommes-nous ?

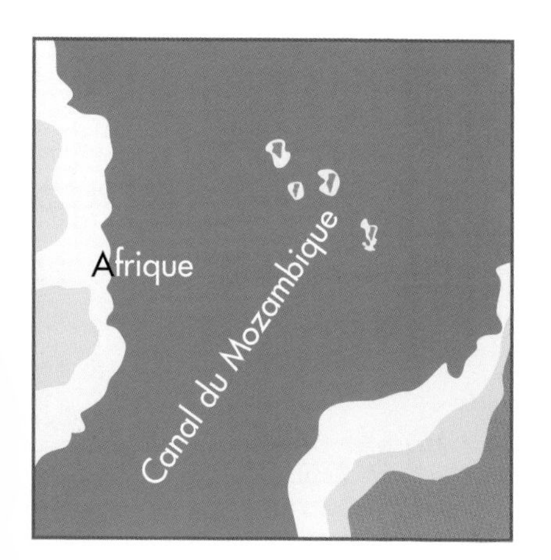

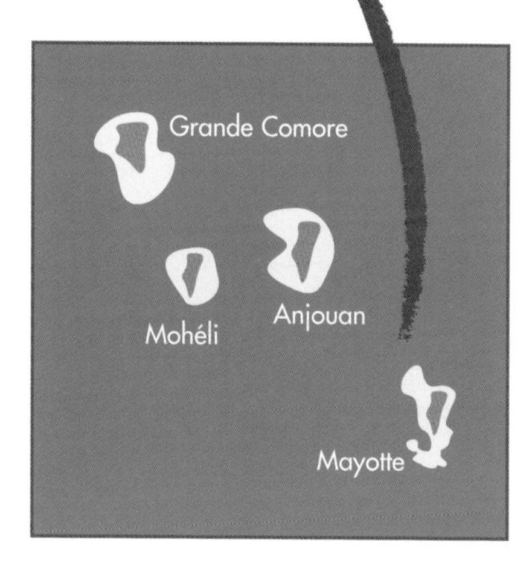

À mi-chemin entre l'Afrique et Madagascar, dans le Canal du Mozambique, Mayotte fait partie de l'archipel volcanique des Comores. Les quatre îles, Anjouan, Mohéli, Grande Comore et Mayotte sont apparues bien après que les oiseaux eurent colonisé l'Afrique et Madagascar toutes deux situées à plus de 250 kilomètres.
Cette distance est beaucoup trop grande pour que la plupart des espèces aient pu venir en volant. Comment les oiseaux sont-il arrivés à Mayotte ?

Comment arriver à Mayotte ?

Pas de problème, nous les costauds, on a des réserves, on bat des ailes sans fléchir d'Edimburg à Dzaoudi dans les deux sens tous les ans.

1

Certains sont arrivés par leurs propres moyens

*"Nous, les **Corbeaux pies**, les **Faucons pèlerins**, les **Hérons à dos vert**, on est grands, on a des réserves qui nous permettent de franchir les océans. Nous sommes venus par nos propres moyens sans l'aide de personne, juste en battant des ailes. Faut dire qu'entre l'Afrique et ici, il y a des étapes, la Grande Comore, Mohéli et Anjouan".*

2

Les cyclones ont transporté la plupart des petits oiseaux, ceux qui pèsent moins de cent grammes. Au-dessus de Madagascar, ou de Zanzibar, ils ont été happés par les turbulences et sont restés prisonniers jusqu'à ce que les vents passent sur une terre où ils ont pu s'accrocher.

Comment faire pour traverser 300 kilomètres de haute mer quand on ne pèse que 15 à 30 grammes ?

Soit une autonomie de 30 à 40 km

*"Nous, les **Zosterops**, on veut juste rajouter que ce type de transport est encore plus dangereux que la kwassa-kwassa. Sur des milliers de partants nous n'avons été que quelques-uns à l'arrivée. Il ne faudrait pas que les cyclones se prennent pour des compagnies de transport, ce sont avant tout des tueurs ces cyclones. Attention à la publicité mensongère ! "*

3

"Les passagers clandestins"

*"Allô, Marseille, ici le **Moineau domestique**. Avez-vous des places gratuites dans les mâts ou les antennes ?" "OK, notre porte-conteneurs part dans une semaine." "Le repas est-il assuré ?" "Oui, mais cela dépend de l'équipage, s'il mange sur le pont, c'est bon, il y aura des miettes. Préparez-vous quand même à faire un régime." "Pas de problème, on est bien gras (entre initiés cela veut dire le plein de réserves pour une longue traversée sans voler), on peut faire beaucoup de kilomètres, si c'est gratuit." "OK, on vous laisse passer pour cette fois-ci jusqu'à Longoni."*

J'attends le port de Petite Terre pour me sauver.

4

"Moi, le ***Bulbul orphée****, cela fait 2 ans que je suis en cage. Mes propriétaires m'ont acheté au marché de Saint-Benoît, à l'Est de la Réunion. Pour la nourriture ça va, mais la cage est vraiment petite. Ginette et Albert parlent d'aller travailler à Mayotte. Si ça marche et que la porte de la cage continue à rouiller, je me sauve dès que l'on sera à Dzaouzi. Dans cette ville de Petite Terre, il y a une petite colonie de mes confrères arrivés en 1985, qui se porte pas mal, des pionniers, comme ils aiment à s'appeler. Un peu vaniteux, certes, mais faut dire qu'en 1992 ils avaient du courage car aucun Orphée n'avait mis les pieds dans l'île."*

C'est ainsi que les oiseaux ont conquis Mayotte. La plupart sont arrivés bien avant l'homme et bien avant les premiers bateaux. Pendant des milliers d'années ils ont vécu tranquilles, personne ne les dérangeait. Cela a duré si longtemps qu'ils ont changé d'habitudes alimentaires, de couleurs de plumage et de langues (le chant est le langage chez les oiseaux). Tout doucement ils se sont transformés au point d'être totalement différents de leurs grands-parents. Le Drongo de Mayotte ne comprend plus le langage de son ancêtre, le Drongo d'Afrique, on dit qu'il s'agit d'une espèce nouvelle. C'est ce que l'on appelle l'évolution. Dans notre île quatre nouvelles espèces sont apparues. On dit qu'elles sont endémiques à Mayotte.

L'ordre, les traditions, ont mis des millénaires à s'installer, les savants appellent cela "l'équilibre naturel". Il peut être dérangé par des introductions de nouvelles plantes ou de nouvelles espèces animales. Tu constateras aujourd'hui que le Martin triste est omniprésent dans toute l'île, des bords du lagon aux centres villes et jusqu'aux sommets les plus boisés.
Cela pose un problème. Le fameux équilibre naturel est rompu dans la mesure où le Martin utilise les arbres creux pour installer son nid. Or le courol qui est un oiseau assez rare (il ne vit qu'à Mayotte, Anjouan, Mohéli et Madagascar) a exactement la même habitude. Comme les arbres creux sont rares, il y a crise du logement et ce sont les courols qui perdent leurs habitations. Pour un courol sans maison, impossible d'avoir une compagne, sans compagne pas d'enfants et sans enfants l'espèce disparaît. Heureusement, pour l'instant il reste quelques arbres creux libres. Mais on ne sait pas si cela va durer vu la démographie galopante des martins. Certains ornithologues (foundis des oiseaux) avancent l'hypothèse suivante : les martins mangeraient les œufs des autres oiseaux. Si cela s'avérait exact, cet oiseau menacerait l'existence d'autres espèces que le courol. Rappelle-toi, il y a à Mayotte quatre oiseaux qui sont uniques au monde. On risque de les faire disparaître en introduisant des espèces nouvelles.

Pas facile de s'installer à Mayotte !

(extrait de Drong Hebdo janvier 2000)

Un rapide bilan de la réussite de l'installation dans notre île inquiète les candidats à l'investissement.

La Veuve dominicaine arrivée fin 1800 : disparue, le Padda de Java arrivé en 1900 : disparu, la Pintade mitrée arrivée vers 1945 : disparue, le Bengali rouge arrivé en 1950 : disparu, le Moineau domestique arrivé en 1948 : a réussit en Petite Terre et tente timidement de s'installer sur la Grande Terre, le Bulbul orphée arrivé en 1985 : n'a toujours pas réussi à quitter le jardin de la Préfecture de Dzaouzi.
Seul le Martin triste arrivé en 1958, a réussi une très bonne carrière dans toute l'île en moins d'un demi-siècle. Le petit bulbul éditorialiste chez notre confrère "Gégé Cardinal" le traite de nouveau riche.

Imposture !

Certains individus se faisant passer pour des oiseaux se présentent régulièrement dans le ciel. Ils sont plus nombreux en fin de journée et s'activent surtout autour des arbres à fruits tendres, manguiers en janvier, arbre à saucisse (kapok) en juillet. Ils n'ont pas de plumes et leurs ailes sont légèrement transparentes. Autre détail, ils ne savent même pas se poser correctement sur une branche, c'est tout juste s'ils arrivent à s'y suspendre et encore, seulement la tête en bas. Méfie-toi ! Ce ne sont pas des oiseaux, ce ne sont que des mammifères. Entre eux ils s'appellent Roussette.

Où voir les oiseaux ?

Dans les jardins

"Autour des maisons, s'il y a des arbustes à fleurs, de l'herbe et des arbres, c'est formidable pour nous les ***Souïmangas****. On adore le nectar (liquide sucré qui se trouve au fond du calice des fleurs)."*

"Nous, les ***Bulbuls****, on vient régulièrement faire un tour pour voir si il y a des insectes, on les mange mais on ne reste pas."*

"Nous, les ***Foudis*** *(on nous appelle aussi les Cardinaux), on aime bien que le propriétaire laisse pousser des plantes à graines et nous laisse faire notre nid dans les arbres."*

Dans les campagnes

Les "campagnes" sont les endroits où l'on fait pousser les cocotiers, le manioc, les bananes et les autres légumes.

"Nous, les ***Moucherolles****, ce que l'on préfère, ce sont les petites campagnes entourées de forêt. On vient manger les chenilles sur les légumes et on fait notre nid dans la forêt. Quand ils sont proches l'un de l'autre, c'est parfait car on ne fait que de tous petits trajets pour nourrir nos petits."*

Dans les forêts

À Mayotte il y en a deux types : les forêts sèches au Sud et à basse altitude, les forêts humides au Centre et au Nord, souvent en altitude. Les forêts sèches perdent leur feuillage en hiver, on dit qu'elles sont caduques, alors que les forêts humides gardent leur feuillage, ont dit qu'elles sont persistantes.

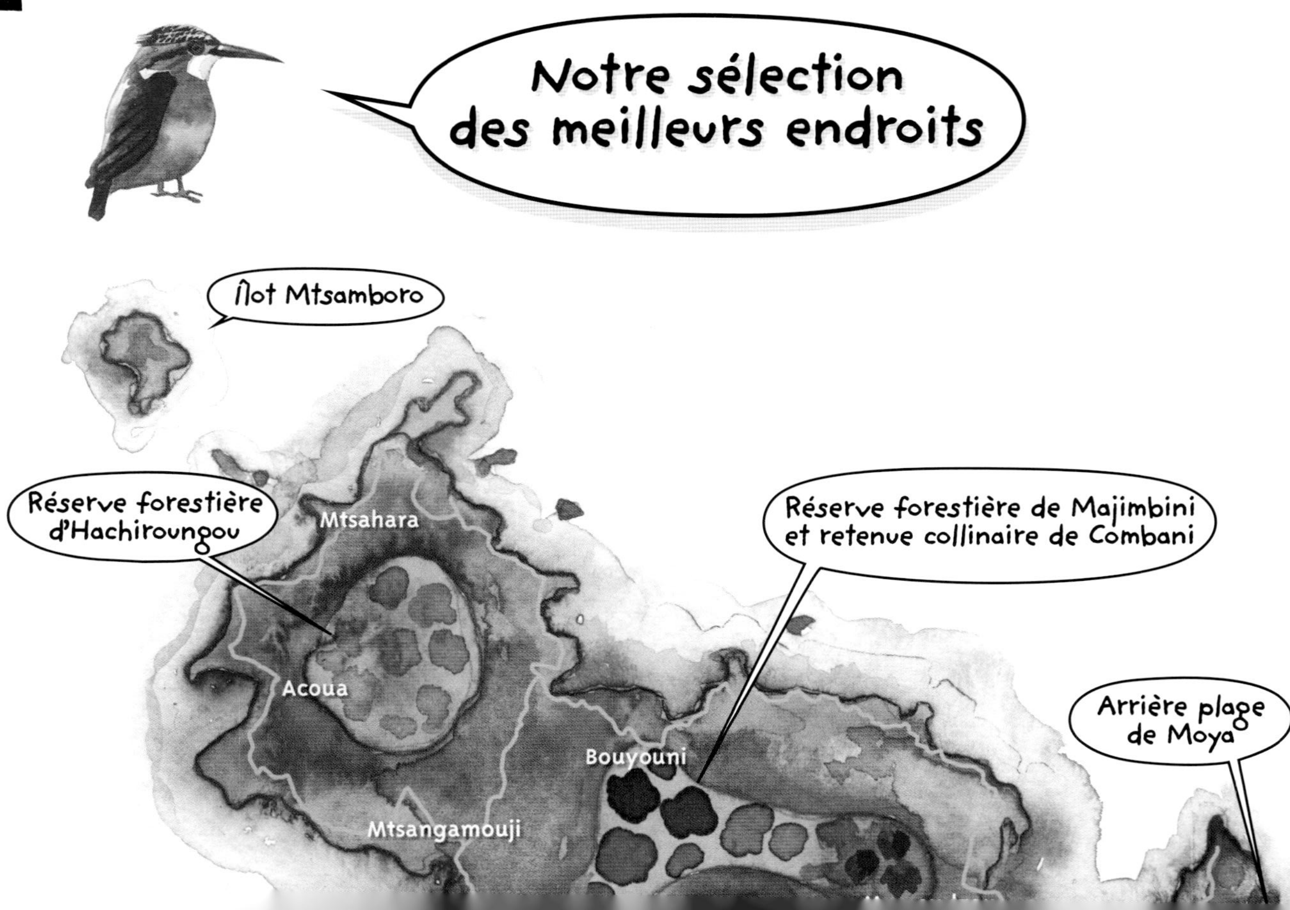
Notre sélection des meilleurs endroits
Îlot Mtsamboro
Réserve forestière d'Hachiroungou
Réserve forestière de Majimbini et retenue collinaire de Combani
Arrière plage de Moya
Mtsahara
Acoua
Bouyouni
Mtsangamouji

Réserve forestière de Combani
Chiconi
Tsararano
Massif du Mlima Bénara
Sada
Bandrelé
Pointe de Bouéni
Bouéni
Massif du Choungui
Moutsamoudou
Arrière plage de N'gouja
Kani-kéli
Arrière plage de Saziley

Quand observer les oiseaux ?

On fait nos petits quand il y a le plus à manger

Entre les mois de septembre et de janvier, la majorité des oiseaux se reproduisent. À cette occasion ils sont plus actifs, les mâles se montrent, ils chantent pour défendre leur territoire et ne changent pas d'endroit d'un jour à l'autre. C'est la meilleure période de l'année pour observer nos amis.

Courbe du nombre d'espèces nicheuses dans l'année

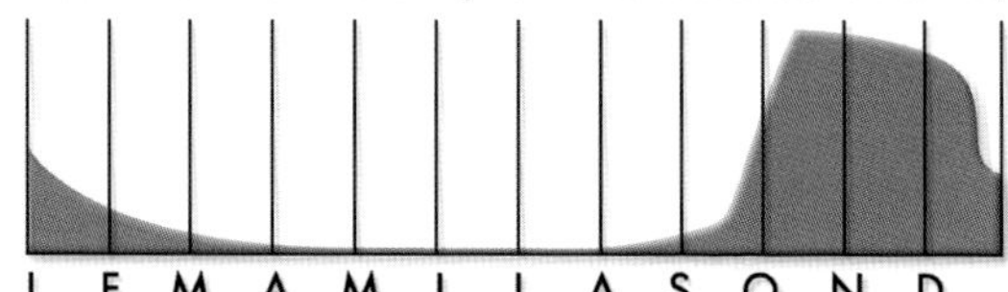

L'heure

"C'est le matin, avant que le soleil se lève que l'on se réveille. En général on commence par chanter un peu pour se mettre en forme, puis on va manger un peu. Le **Drongo** *est le plus matinal, il fait encore nuit quand il s'étire, le* **Zosterops** *attend le lever du soleil. Ce qui est certain c'est que dès 8 heures du matin on commence à faire des petites siestes de 5 minutes tous les quarts d'heure". "Ces espèces diurnes, celles qui vivent le jour, elles se crient seules au monde, elles oublient toujours que nous les espèces nocturnes, les* **Chouettes** *et les* **Hiboux***, travaillons de nuit. Nous commençons vers 18 heures pour terminer vers 6 heures. On fait 12 heures comme eux".*

Comment les observer ?

L'habillement

Choisis des couleurs foncées et ternes pour tes vêtements. Le vert ou le style camouflage n'est pas important par contre d'autres précautions sont à prendre. Il faut te protéger des moustiques, même dans la journée car il y a des espèces diurnes mais elles ne transmettent pas le paludisme. Par contre, il y a un moustique nocturne, l'anophèle, qui transmet cette maladie. Si tu pars le matin tôt ou la nuit, emmène de l'anti-moustique. Prévois un chapeau pour te protéger du soleil.

L’équipement

Un sac à dos léger contenant : une boussole, un carnet, un crayon et une gomme pour noter tes observations, une carte ou le guide des sentiers de Mayotte, ton livre sur les oiseaux, une paire de jumelles, de l’eau, un casse-croûte si tu pars pour la journée, un couteau de poche, ton guide des oiseaux, de la crème solaire, un désinfectant et des pansements.

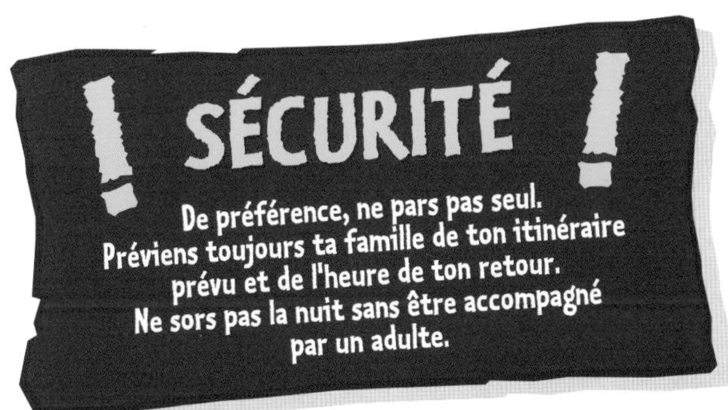

Les voix des oiseaux

Les oiseaux ont deux manières de communiquer oralement entre eux :

le chant et les cris.

Le chant est réservé à la période des amours. Contrairement à ce que tout le monde croit, il ne sert pas à séduire les partenaires. Il veut dire : "eh ! Toi là, n'approche pas car tu vas rentrer dans ma propriété (mon territoire) et je te l'interdis". En général chaque espèce ne possède qu'un seul chant.

Les cris, au contraire, peuvent être différents pour une même espèce. Ils servent principalement à dire deux choses : "restons en contact, restons ensemble", ce sont les **cris de contact**. Ils peuvent aussi dire, "attention, attention, il y a un danger", ce sont les **cris d'alarme**.

Vous avez dit loquace ?

"Les foundis des oiseaux disent que nous sommes loquaces lorsque nous utilisons notre chant et nos cris dans une même période de l'année. Certains d'entre nous sommes bavards du mois de janvier au mois de décembre, on dit que nous sommes loquaces toute l'année."

Particularités à Mayotte

Le comportement

Dans les endroits isolés, comme les îles, certaines espèces changent de comportements par rapport à leur sœur des îles voisines. Le Héron à dos vert par exemple, ici il niche en solitaire alors qu'à Madagascar et en Afrique il niche en colonie de plusieurs centaines de couples. Ainsi, les détails de la vie des oiseaux qui sont expliqués dans le guide qui suit ne sont valables que pour Mayotte. Cela est vrai aussi bien pour le comportement social que pour les milieux où il vit ou encore pour les dates de reproduction.

Les oiseaux migrateurs

Dans ce livre tu trouveras tous les oiseaux qui nichent dans l'île. Pourtant tu pourras en voir beaucoup d'autres. Ce sont les oiseaux migrateurs. Ils vivent à deux endroits différents selon la période de l'année. Entre les mois d'avril et de septembre ils vont au Nord, en Asie ou en Europe pour se reproduire. Durant ces six mois, c'est l'été dans ces régions du monde. Lorsqu'il commence à faire froid, les migrateurs descendent vers le Sud pour éviter la neige et la glace. Certains ont choisi Mayotte pour passer ces vacances.

"Nous, les courlis corlieu, on fait vingt mille kilomètres tous les ans, aller et retour, pour venir voir nos amis de Mayotte."

AVIS

Tu pourras découvrir les oiseaux migrateurs de l'île mais aussi les tortues, dans le n°4 de cette collection qui s'appelle : LES VISITEURS DES PLAGES

...CHEURS
...OTTE

5

6

8

10

9

11

12

banga
a ou Bouindryajouma
tar, Keou-keou
res, Ninga

21
22 Martin triste, Katouera

Illustrations : Pierre Huguet

1 Martin pêcheur malachite, Moinatse ou Msungamro
2 Inséparable à tête grise, Kararaouki
3 Guêpier de Madagascar, Tsoungouri
4 Drongo de Mayotte, Marimoudrou
5 Épervier de Frances, Bekibouri ou Bouidryajoma
6 Petit Duc de Mayotte, Chrigoui gnonga
7 Pigeon des Comores, Ndiwa
8 Moucherolle, Bandrame

9 Bulbul de M
10 Foudy de M
11 Zosterops d
12 Souïmanga
13 Faucon pèle
14 Effraie, Bun
15 Courol de M
16 Founingo d

OISEAUX

Comment protéger les oiseaux ?

Préserver leurs milieux naturels

Les oiseaux ne sont pas comme les hommes. Une même espèce ne peut pas vivre dans des milieux aussi différents que la forêt, la plage ou les marais. Ils ne peuvent pas s'adapter aux changements du lieu où ils sont nés. Lorsque l'on coupe une forêt ou que l'on détruit une mangrove, on réduit le territoire vital de nombreux animaux. Dans certains cas il suffit d'abattre quelques vieux arbres creux pour chasser une espèce sur plusieurs kilomètres à la ronde. Si tu constates ce type de modifications, parles-en à ton professeur de SVT ou à ton instituteur. Demande-lui de se renseigner au près de la Délégation à l'Environnement pour savoir s'il y a eu une étude d'impact

Autour de ta maison

Là, tu peux faire plusieurs choses. Plantes des arbustes à fleurs ou à graines, construis des nichoirs ou mieux, ramasse les branches creuses que tu trouveras par terre et accroche-les dans les arbres autour de chez toi. Pendant la saison sèche, maintiens en permanence de l'eau dans un petit bassin fait avec une feuille de plastique. Les oiseaux viendront car tu leur auras ainsi assuré la nourriture, le logement, la boisson et la baignade.

nichoirs ou mieux, ramasse les branches creuses que
les arbres autour de chez toi. Pendant la saison sèche,
un petit bassin fait avec une feuille de plastique. Les
assuré la nourriture, le logement, la boisson et la baig

GUIDE DES OISEAUX NICHEURS
Mode d'emploi

nom en français

nom en shibouchi

nom en shimaoré

numéro sur le CD

nom scientifique

texte sur l'aspect et la vie de l'espèce

oiseau vu de près ou avec une paire de jumelles

oiseau tel qu'on le voit sans paire de jumelles

curiosité ou anecdote

Souimanga de Mayotte
Mwanatsi ou Sui-sui
Nectarina coquerelii

CARTE D'IDENTITÉ

25

C'est le plus petit oiseau de Mayotte, 10 centimètres et encore, dans cette longueur, il y a 2 centimètres de bec ! Il est très fréquent.
Tu le verras souvent dans les jardins où il y a des fleurs. Il ne peu pas vivre loin d'elles car il se nourrit principalement de nectar. Il lui arrive, de temps à autre de becqueter un insecte. Il n'est pas farouche et se laisse approcher à peu de distance lorsqu'il butine les fleurs. Le Souimanga est constamment en mouvement car il besoin de manger très souvent du fait de sa petite taille, on dit qu'il a un métabolisme rapide.
Il est le seul, à Mayotte a être capable de voler en marche arrière. Son chant mélodieux est émis à la saison des amours. Tout le reste de l'année il pousse des petits cris aigus de contact. Il construit son nid d'herbe sèche et de mousse en bout de branche. La ponte, deux œufs en général, a lieu entre les mois de septembre et de décembre.
Il ne vit qu'à Mayotte, c'est un endémique de l'île.

On me traite de colibri !!!

Les mzungus m'appellent "le colibri". Ils ne savent pas ce qu'ils disent et, de plus, sont très désobligeants. Quand même, on fait dix centimètres de long et pas cinq ou six comme ces nains d'Amérique dont le nid n'est pas plus grand qu'une cuillère à soupe ! On n'est pas des nains de jardin ! Eh, les mzungus, soyez ornithologiquement corrects !

46

La taille est mesurée du bout du bec au bout de la queue sur l'oiseau posé sur le dos.

Corbeau pie
Gawa, Koy ou Goica
Corvus albus

De grande taille, 46 à 50 centimètres, le Corbeau pie est un oiseau commun. Tu l'apercevras souvent en groupe de trois à six individus. Il est loquace toute l'année. À la saison de reproduction, aux abords de son nid, son répertoire est assez varié. Sur les plages, les décharges d'ordures, tu le reconnaîtras facilement de loin à sa taille, et à sa silhouette bicolore. Il est méfiant sans être farouche. C'est un omnivore mais il a une prédilection pour les gros insectes, les poissons morts et les détritus. Ses habitudes alimentaires le rapprochent des villages. Il vit principalement en bord de mer et affectionne les falaises et les grands arbres. Il se déplace peu lorsqu'il est adulte (deux à trois ans). Son gros nid est fait de petites branches. L'intérieur est tapissé d'herbes sèches et parfois de déchets en plastique. Il est calé dans une fourche près du tronc de l'arbre ou, plus rarement, accroché sur une corniche dans une falaise. Il pond deux à quatre œufs entre août et janvier. Cet oiseau vit à Mayotte, dans l'ensemble des îles de l'Océan Indien et dans toute l'Afrique. C'est le seul corvidé de Mayotte.

Le corbeau et la tortue

En fin d'après midi, si tu aperçois des

Ta présence empêchera ce repas et tu deviendras un protecteur des tortues.

Héron à dos vert
Chidrakae
Butorides striatus

C'est un oiseau de bonne taille, 39 à 41 centimètres. Il est très discret, solitaire et, la plupart du temps, on ne l'aperçoit que lorsqu'il s'envole parce qu'on est arrivé trop près de lui. Il se fond bien dans les milieux où il évolue. De loin il apparaît comme un oiseau foncé. De plus près tu remarques que ses pattes et son œil sont jaunes et que son cou est plus clair avec une tache rousse.
Il passe ses journées à changer d'affûts au bord de l'eau, le long des ruisseaux ou dans la mangrove. Plus rarement on peut l'apercevoir dans les rochers sur une plage.
Son chant grave et sourd est caractéristique. Il pousse aussi un cri strident lorsqu'il est irrité par la présence d'un congénère. Mais il est peu loquace et il est rare que l'on puisse l'entendre.
En période de reproduction il se retire au cœur d'une mangrove. Son nid est installé dans un palétuvier. Il pond trois à quatre œufs entre août et février.
Il n'est pas rare et il est présent sur toute l'île mais il a été peu étudié à Mayotte et l'on ne connaît pas bien sa biologie.

Suis-je un oiseau rare ?

Certains ornithologues anglais pensent que je suis une espèce différente des autres Hérons verts vivant à Madagascar et en Afrique. C'est vrai que je préfère nicher seul loin de mes confrères alors qu'en dehors de Mayotte mes cousins forment de très grandes colonies pour se reproduire. Si les foundis anglais ont le dernier mot, je rentrerai alors dans le club très fermé des oiseaux les plus rares au monde.

Courol malgache

Kéou-kéou ou Lakiroumbé

Leptosomus discolor

De grande taille, 49 à 51 centimètres, le Courol malgache est un oiseau commun. Tu l'entendras plus que tu ne le verras. Son cri est très facilement reconnaissable, c'est une sorte de kiiou-kiiou-kiiou répété de multiples fois à toutes les périodes de l'année. À la fin de la saison de reproduction, lorsque ses petits commencent à voler, son répertoire s'enrichit de quelques notes douces. C'est un oiseau méfiant qui se cache très bien dans les branchages où il reste de longs moments immobile. Le mâle est gris foncé avec un ventre blanc alors que la femelle est toute rousse tachetée de brun. Les jeunes, pendant un an, ressemblent à la femelle.

Le Courol malgache vit en couple aux abords des forêts ou dans tous les endroits qui comportent de vieux arbres. C'est un carnivore qui a une prédilection pour les lézards. Il ne dédaigne pas occasionnellement les gros insectes.

Il niche exclusivement dans les cavités des arbres. Il tapisse le trou de débris de bois et de carapaces d'insectes. Seule la femelle couve les quatre à cinq œufs de la ponte. Lorsque l'élevage des petits s'achève, entre fin novembre et fin décembre, le nid dégage une très mauvaise odeur.

Cet oiseau vit à Mayotte et à Madagascar.

Crise du Logement

pourront vivre en bonne entente.

Faucon pèlerin
Chipanga
Falco peregrinus

De grande taille, 36 à 46 centimètres, ce rapace très rare tire son nom d'une habitude qu'il a lors de la nidification : tous les jours, il repasse aux mêmes endroits vers la même heure un peu comme s'il faisait du pèlerinage.
Seuls deux à trois couples sont installés dans l'île. Tu le verras rarement, et presque toujours en vol. Il est farouche. Tu ne pourras l'approcher que s'il est en train de manger une proie. il est difficile de l'entendre car il ne pousse ses cris qu'à la période de reproduction et uniquement près de son nid. Son plumage est gris foncé sur le dos et blanc rayé de noir.
C'est un carnivore. Il se nourrit exclusivement d'oiseaux, pigeons, tourterelles et oiseaux marins, qu'il capture toujours en vol.
Son nid est rudimentaire, juste quelques brindilles posées sur une corniche dans une falaise. Il pond deux à trois œufs entre les mois de mai et d'août.
Il vit dans le monde entier, des régions polaires aux régions équatoriales.

Double recordman du monde

La vitesse : en chasse, le Faucon pèlerin réalise des piqués vertigineux. Il commence par de vigoureux battements d'ailes puis les replie contre son corps et peut alors atteindre des vitesses qui dépassent 320 km/h. Aucun autre animal au monde n'est aussi rapide.
La boxe : Il cogne en pleine vitesse ses proies avec ses pattes qu'il a repliées et gagne toujours ce combat par K.O. Il en réalise plus de trois-cent par an. Aucun boxeur au monde n'a jamais accompli le dixième de cette performance

Épervier de Mayotte
Bouidryajoma ou Bekibouri
Accipiter francesii mayottensis

De bonne taille, 30 à 35 centimètres, ce rapace est très commun. Tu le verras facilement perché sur les fils électriques au bord des routes. Il est très peu farouche, surtout pour un rapace. Tu pourras l'approcher facilement jusqu'à quatre ou cinq mètres de distance. Il est facile de l'entendre car il pousse des séries de cris très aigus à longueur de journée et toute l'année. Son plumage est beige foncé sur le dos et beige clair rayé sous les ailes et sur le ventre. Il est présent dans toute l'île mais a une préférence pour les forêts d'altitude. C'est un carnivore strict. Il mange tout ce qui est vivant et pas trop gros, oiseaux, grenouilles, lézards... Son nid assez volumineux est installé haut dans les arbres. Il pond deux à trois œufs au mois de septembre ou d'octobre. À proximité du nid il réalise souvent des figures aériennes telles que piqué suivies d'une montée en flèche et ce, plusieurs fois de suite. Il vit dans les quatre îles de l'archipel des Comores et à Madagascar.

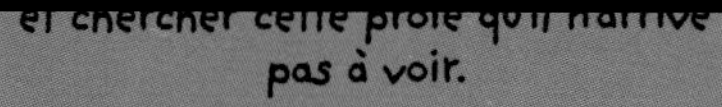

Poule d'eau

Karria, Carhani ou Carha

Gallinula chloropus

De taille moyenne, 30 à 36 centimètres, c'est l'un des deux oiseaux d'eau douce qui se reproduit à Mayotte. Il y en a très peu. Tu ne pourras la voir qu'à deux endroits, la retenue collinaire de Combani et le Dziani Karehani.
La Poule d'eau est la reine du bavardage, elle pousse des cris très variés et puissants à longueur de journée.
Elle n'est pas farouche.
C'est une omnivore. Elle se nourrit d'insectes, de petits batraciens (grenouilles), de bourgeons et de racines de plantes principalement aquatiques.

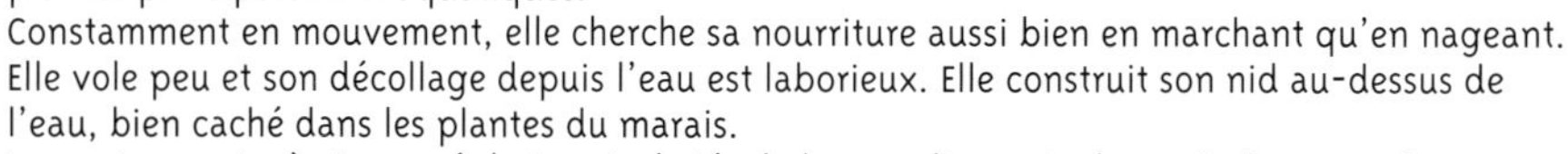

Constamment en mouvement, elle cherche sa nourriture aussi bien en marchant qu'en nageant. Elle vole peu et son décollage depuis l'eau est laborieux. Elle construit son nid au-dessus de l'eau, bien caché dans les plantes du marais.
La ponte, quatre à cinq œufs beiges tachetés de brun, a lieu entre les mois de septembre et de mars, en fait la date dépend des pluies qui remplissent le marais.
La Poule d'eau vit en Afrique, en Asie, en Europe, à Madagascar et à Mayotte.

Égalité des sexes !

Nous, les mâles, on n'est pas comme les Coqs domestiques. On aide à construire le nid, on couve les œufs et on élève les petits à égalité avec notre femme, et, en plus, on n'est pas polygame. Les Poules domestiques sont jalouses de nous comme c'est pas possible.

Talève d'Allen
Karria ou Carhani
Porphyrula allenii

De taille moyenne, 26 à 30 centimètres,
la Talève d'Allen est un oiseau très rare.
Tu l'apercevras souvent seule, plus rarement
en couple et uniquement au Dziani Karehani et
à la retenue collinaire de Combani.
Elle est assez silencieuse et ne pousse ses cris sonores
qu'à la saison de reproduction. Son ventre est bleu, son
dos est bleu-vert avec des reflets métallisés et son bec et ses
pattes sont rouge corail. Elle est craintive et se cache dans les
profondeurs de la végétation quand elle aperçoit un être
humain. Lorsqu'elle se sent en sécurité, si tu es bien
caché, tu la verras voler fréquemment d'un îlot de
végétation à l'autre. Elle est plus active le soir et le matin qu'en pleine journée.
Elle se nourrit de plantes aquatiques, de leurs racines et de jeunes pousses, et parfois de graines.
Elle ne vit que dans les marais d'eau douce. C'est au milieu de la végétation aquatique que la talève
fait son nid, qui est en général situé franchement au-dessus de l'eau pour être à l'abri des crues.
À Mayotte on ne constate pas sa reproduction tous les ans. La période est variable,
elle dépend de la quantité des pluies. La talève attend que l'eau soit assez haute avant de
pondre. Selon les années cela peut avoir lieu de novembre jusqu'à mai.
La Talève d'Allen est un peu un mystère, elle peut disparaître pendant un à deux ans puis
réapparaître soudainement. Depuis que la retenue d'eau de Combani s'est végétalisée,
ce phénomène semble avoir disparu.
Elle vit en Afrique, à Madagascar et à Mayotte.

Copieuses !

Il faudra qu'on y songe.

Pigeon des Comores
Ndiwa ou Droy
Columba polleni

Ce pigeon qui mesure 40 à 42 centimètres fait partie des gros oiseaux de Mayotte. C'est sur la piste du Mont Combani que tu auras le plus de chance de l'observer.
Il est rare et, comme il vit toujours dans les arbres sans jamais descendre au sol, on ne le voit que rarement par hasard. Il faut le chercher pour le trouver.
Son chant, d'avril à janvier, est le meilleur indicateur pour le repérer. Lorsqu'enfin tu l'aperçois, c'est un oiseau noirâtre et confiant qui apparaît. Avec une paire de jumelles tu remarques des taches claires sur le cou et un bec jaune. Il vit uniquement en altitude dans les forêts humides. Il se nourrit de petits fruits de forêt et de graines.
Sa période de nidification s'étire d'août à janvier. Il est alors relativement loquace et émet des sons graves et gutturaux. Son nid sommaire est placé haut dans les arbres, il n'y pond en général qu'un seul œuf.
Tu ne pourras rencontrer cet oiseau que dans l'archipel des Comores dont il est l'un des endémiques.

Basse

Dans la chorale des oiseaux au petit matin, c'est moi qui ais la voix la plus grave.
Je crois bien d'ailleurs que c'est moi qui chante le plus bas de tous les animaux de Mayotte, à part la baleine, bien sûr.

Founingo des Comores

Ninga

Alectroenas sganzini

C'est un pigeon qui mesure 28 à 31 centimètres. Son chant, d'avril à janvier, est souvent le meilleur indicateur pour le repérer. Lorsque tu l'aperçois c'est à sa tête blanche que tu le reconnais. De plus près, tu remarques une tache rouge autour de l'œil et un bec jaune.
Il se nourrit de petits fruits de forêt et apprécie tout spécialement ceux de l'ylang-ylang.
En dehors de la saison de reproduction tu le trouveras dans tous les bois de l'île qui ne sont pas au bord de la mer. De septembre à mars, pour la nidification, il se retire dans les forêts humides d'altitude. Il devient alors très loquace et se déplace constamment d'arbre en arbre sur son territoire qui est restreint, moins d'un hectare. Son nid est sommaire, quelques brindilles entremêlées d'une manière si lâche que tu pourras voir parfois les œufs au travers. Tu ne pourras rencontrer cet oiseau que dans l'archipel des Comores.
À Mayotte, c'est sur la piste du Mont Combani et celle qui joint Combani à Bouyouni que tu auras le plus de chance d'observer ce pigeon.
Il n'est pas rare mais, comme il vit toujours dans les arbres sans jamais descendre au sol, on ne le rencontre que de façon exceptionnelle.
Il faut le chercher pour le trouver.
Il vit dans les quatre îles des Comores où il est endémique.

le Founingo des Comores.

Tourterelle du Cap
Choucourou
Stretopelia capicola

C'est une tourterelle de taille moyenne, 27 à 29 centimètres.
Elle est fréquente sans être abondante.
Tu la verras souvent dans les villages et les campagnes.
Elle n'aime pas les forêts d'altitude et les biotopes humides.
Son chant est un roucoulement, trouou-krouou, trouou-krouou sonore quelle répète trois à quatre fois toutes les deux minutes. Il est audible à une assez grande distance.
La Tourterelle du Cap peut être grégaire à l'occasion mais en général elle est solitaire et vit en couple à la saison des amours. Elle n'est pas farouche mais maintient toujours une distance d'une dizaine de mètres entre toi et elle. Elle se déplace depuis la cime des arbres jusqu'au sol pour trouver les graines dont elle se nourrit principalement.
Pendant la saison de reproduction elle se nourrit aussi de baies et de petits fruits. Elle construit son nid dans les arbres. Il est très sommaire, quelques branchettes au travers desquelles tu peux voir le, ou les deux œufs qu'elle pond entre septembre et janvier.
Elle vit en Afrique et dans les Comores.

Applaudissements

Il n'y a pas que les hommes qui savent applaudir. Avant même qu'ils n'existent sur terre, car ils sont apparus après les tourterelles, nous avions déjà mis cette technique au point. Si tu écoutes bien quand je m'envole, surtout quand il y a une femelle dans le coin, je claque des ailes pendant quelques instants.

Tourterelle peinte
Chivoua, Shivui ou Doumouillé
Streptopelia picturata

De taille moyenne, 28 à 30 centimètres, la Tourterelle peinte est un oiseau commun. Tu l'apercevras souvent au sol dont elle s'envolera au dernier moment.
Elle est peu bavarde en dehors de la saison des amours mais on peut entendre son chant doux toute l'année.
Dans les "campagnes" et les forêts, tu la reconnaîtras à sa couleur foncée et sa queue qui est terminée par une bande claire lorsqu'elle s'envole. Elle est peu farouche mais garde ses distances en avançant à la même vitesse que toi. Si tu accélères, elle se sauve.
Elle aime se nourrir de baies, de graines et parfois d'invertébrés sur le sol. Elle vit dans tous les milieux de l'île, mais rejoint les forêts à la saison de la reproduction.
Son nid fait de brindilles est en général assez bas, entre deux et quatre mètres du sol.
Elle pond deux œufs entre septembre et janvier.
Cette tourterelle vit à Mayotte, dans les trois autres îles des Comores, à Madagascar, aux Seychelles, à Maurice et à la Réunion.

Libération immédiate

Rejoignez-nous !

Tourterelle tambourine
Katoto
Turtur tympanistria

C'est une tourterelle de taille moyenne, 21 à 23 centimètres.
Elle n'est pas abondante.
Discrète et timide, elle se laisse difficilement observer.
Le mâle est représenté sur cette page, la femelle est moins colorée, elle n'a pas de taches noires sur le dos, elle est légèrement striée.
Tu verras la Tourterelle tambourine au sol où elle se nourrit, aux abords des villages et dans les campagnes.
Elle n'aime pas les forêts d'altitude et les poissons humides. En s'installant à Mayotte, elle a perdu les habitudes forestières qui caractérisent ses sœurs africaines. Elle est audible à une assez grande distance.
Elle est solitaire, les couples ne se forment qu'à la saison des amours.
Elle se nourrit de graines qu'elle cherche au sol. Elle pond un ou deux œufs entre le mois de novembre et le mois de mars.
Elle vit en Afrique et dans les Comores.

Tambourine ?

Je tiens mon nom de mon chant. C'est un roucoulement saccadé dont le rythme va en s'accélérant et la puissance en diminuant, un peu à la manière d'un petit tambour (djembe). Mais je ne suis qu'une débutante et tout le monde ne reconnaît pas mes percussions.

Pigeon biset domestique

Pas de noms locaux

Columba livia

De taille moyenne, 32 à 34 centimètres, le Pigeon domestique est un descendant du Pigeon biset. Lorsqu'il s'échappe il redevient sauvage. Cela s'est produit il y a peu de temps à Mayotte.
Tu ne le trouveras qu'en ville, autour des pigeonniers, à Mamoudzou, Dzaoudzi, Chiconi, etc.
Les couleurs des illustrations de cette page sont celles de l'animal sauvage. Les pigeons d'élevage, comme les poules, peuvent revêtir toutes sortes de plumage, blanc, roux, noir, etc.
C'est un granivore qui, comme le moineau, s'est habitué aux miettes de pain et au riz.
Dans la nature, le Pigeon biset fait son nid dans les arbres creux et dans les cavités des falaises. Il utilise des brindilles qu'il entremêle de façon grossière. il pond un à deux œufs entre septembre et décembre (donnée provenant de Madagascar).
Ce n'est pas un oiseau de l'Océan Indien. Il est originaire d'Europe.

Plus rapide que la Poste

En Europe, depuis près de 2 000 ans

en 25 minutes. Jamais la poste n'a réussi cette performance.

Effraie
Bouindryajoma ou Vourindroulou
Tyto alba

De bonne taille, 32 à 36 centimètres, cette chouette est commune. Malgré cela, tu ne la verras pas souvent. Elle ne sort pratiquement qu'à la nuit tombée. Par contre, il est facile de l'entendre car elle est bavarde. Durant la nuit, particulièrement par beau temps, elle pousse toutes les heures quelques cris stridents et chuintés. Son plumage est beige tacheté sur le dos et presque tout blanc sous les ailes et sur le ventre. En métropole on la surnomme la Dame Blanche. Elle est discrète. Elle est présente dans toute l'île mais a tendance à vivre de plus en plus souvent dans les villages car elle y trouve facilement sa nourriture préférée. C'est une carnivore, qui a une passion pour les rats qui constituent 95 % de ses proies. Normalement elle niche dans les arbres creux mais, avec l'apparition des constructions en briques ou en béton, elle arrive à trouver des trous dans les murs des maisons. Elle y pond quatre à douze œufs au mois entre août et septembre.
Elle vit dans le monde entier à l'exception des régions longuement enneigées.

Halte au racisme !

Parce que je ne sors que la nuit, je suis soi-disant un oiseau de malheur et l'on me tue pour cette raison. Ce n'est pas vrai, je ne suis ni un djinn, ni un diable. Je suis un grand ami de l'homme car je m'attaque aux rats qui leur causent tant de dégâts. Arrêtez de me tuer, construisez-moi plutôt des nichoirs en même temps que vos maisons. C'est facile, il suffit d'ajouter une boîte en béton à l'extérieur sous le toit et je mangerai davantage de rats.

Petit duc de Mayotte
Chrigoui gnonga ou Koutourouki
Otus rutilus mayottensis

De taille moyenne, 24 à 26 centimètres, ce petit hibou est un oiseau nocturne qui ne s'envole qu'à la nuit tombée. Il est extrêmement difficile à voir. Ses couleurs, qui mêlent le brun au beige et au noir, et son immobilisme total constituent un camouflage parfait. De plus, dans la journée il se cache dans le feuillage des endroits les plus sombres. Il est peu farouche et ne fuit que lorsque tu es à moins d'un mètre de lui.
Par contre il est très facile de l'entendre. La forêt est son domaine de prédilection, il peut y atteindre de très fortes densités : plus de deux couples par hectare au Mont Combani. Il fréquente aussi les campagnes quand elles possèdent des arbres creux. Dès que le soleil est couché, avant même qu'il ne fasse nuit, il se met à chanter. Sa voix porte assez loin, on entend alors un hou-hou-hou-hou continu qui peut durer jusqu'à plus d'une minute. Il est fréquent que plusieurs petits ducs chantent ensemble à moins de cinquante mètres l'un de l'autre.
C'est un oiseau insectivore qui chasse à l'affût.
Il attend, posé, qu'un insecte passe et l'attaque en vol avant de se remettre aux aguets sur un autre perchoir. Il niche dans les cavités naturelles des vieux arbres.
Il pond quatre à cinq œufs entre les mois de septembre et de décembre.
Il vit à Mayotte et à Madagascar.

Vous avez dit mayottensis

Les foundis des oiseaux ne sont pas d'accord entre eux. Certains pensent [illegible] à notre nom latin. Il pense que nous sommes endémiques à Mayotte.

Mainate ou Martin triste
Katouéra ou Kouya-kouya
Acridotheres tristis

C'est un oiseau de taille moyenne, 24 à 26 centimètres. Il est omniprésent, grégaire et a conquis tous les milieux de l'île à l'exception des mangroves. Il se déplace en groupes bruyants de cinq à cinquante individus. De loin il apparaît comme sombre avec une marque blanche aux ailes et au bas de la queue. De plus près tu remarques son bec jaune et son ventre légèrement plus clair chez les adultes.
Le mainate se nourrit souvent à terre. C'est un omnivore spécialisé dans les insectes. Opportuniste, il ne dédaigne pas les lézards, les oisillons et les fruits.
Il possède un répertoire de cris et de chants très varié. Il imite d'autres espèces, le Drongo de Mayotte en particulier mais aussi parfois le Bulbul malgache.
En période de reproduction, de septembre à janvier, les couples s'isolent et pondent trois à quatre œufs dans les cavités naturelles des vieux arbres.
Cette espèce n'existait pas à l'origine dans les îles de l'Océan Indien. Il a été introduit partout mais n'est apparu que récemment à Mayotte. En quelques décennies il est devenu l'oiseau le plus commun et sa population ne cesse de croître.

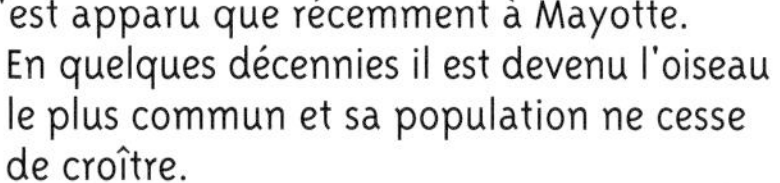

Des plaintes de plus en plus nombreuses

Les inséparables se plaignent mais aussi les courols, les petits ducs et les effraies. Le mainate déloge toutes les espèces cavernicoles et menace leur population. Pour l'instant, personne n'a trouvé de solution à ce problème, l'inquiétude augmente de jour en jour.

Drongo de Mayotte
Marimoudrou ou Layrouvi
Dicrurus waldenii

De taille moyenne, 27 à 29 centimètres, le drongo est un oiseau peu commun. Tu le verras plus souvent que tu ne l'entendras car son cri est difficile à distinguer de celui du mainate. Par contre, il est facile à reconnaître, son plumage est tout noir et sa queue longue et fourchue. Il est le seul dans l'île à avoir une queue pareille.
C'est un oiseau peu méfiant et curieux. Si tu ne bouges pas, il s'approche et reste quelques instants immobile pour t'observer. Tu le trouveras de préférence dans les forêts d'altitude et parfois dans les mangroves. Au pied du téléphérique du Mont Combani, tu es sûr de le voir au petit matin. Il vit seul en dehors de la saison de reproduction.
C'est un carnivore qui se nourrit principalement d'insectes. Il est capable de les attraper en vol.
Il niche très haut, en bout de branche. Sa reproduction s'étale de septembre à janvier. Les adultes et les jeunes, en général deux à quatre, restent en famille pendant six à huit semaines après la sortie du nid.
Cet oiseau ne vit qu'à Mayotte, il est l'un des rares endémiques de l'île.

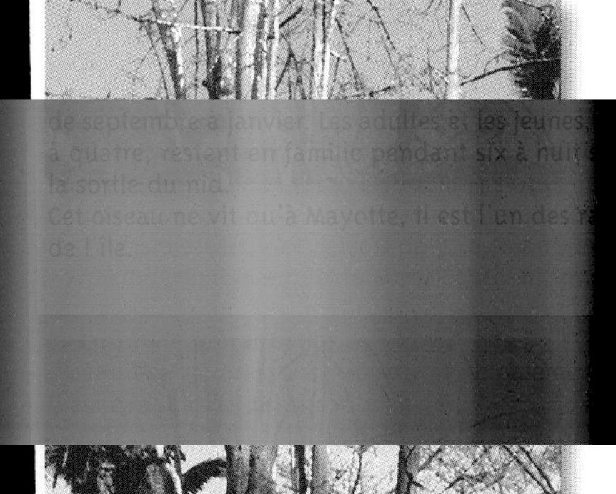

de septembre à janvier. Les adultes et les jeunes,
à quatre, restent en famille pendant six à huit
la sortie du nid.
Cet oiseau ne vit qu'à Mayotte, il est l'un des r
de l'île.

L'hommage aux anciens, une tradition qui se perd

Les foundis des oiseaux, après avoir constaté notre évolution par rapport à

disparaître définitivement. Quand même, un peu de respect pour les anciens !

Inséparable à tête grise
Kararaouki
Agapornis canus

C'est une perruche de petite taille, 14 à 16 centimètres. Elle est rare, grégaire et, la plupart du temps, on l'entend avant de la voir.
Elle se déplace en petits groupes bruyants de quatre à six individus.
De loin, elle apparaît comme un oiseau vert clair. De plus près, ou avec une paire de jumelles, tu remarqueras que certains individus ont la tête grise. Ce sont les mâles. Cette perruche descend souvent à terre pour se nourrir et affectionne les arbres morts, ou sans feuilles, comme perchoir.
Son régime alimentaire est composé de graines et de noyaux de petits fruits. Elle ne possède pas de véritable chant, les cris sont poussés le plus souvent à l'envol et à l'atterrissage.
En période de reproduction, de septembre à janvier, les couples s'isolent. Les inséparables pondent deux à trois œufs dans les cavités naturelles des vieux arbres.

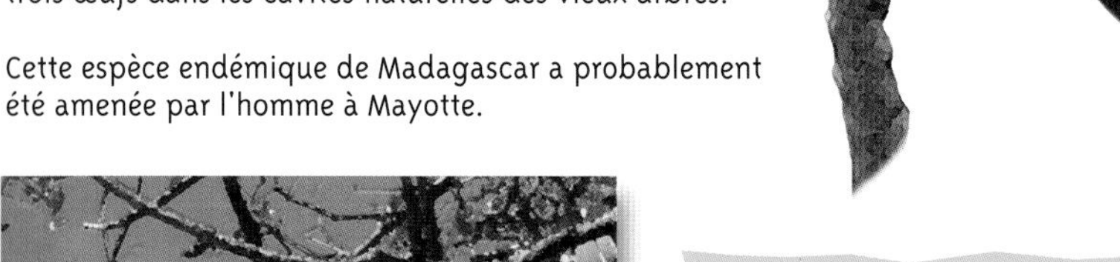

Cette espèce endémique de Madagascar a probablement été amenée par l'homme à Mayotte.

Unis pour la vie ?

Une réputation, inventée par l'homme, nous a donné le nom d'inséparable. Certes, il est vrai que quand nous sommes amoureuses nous ne nous cachons pas pour nous embrasser et, de plus, il est vrai aussi que nous en avons envie très souvent. Mais, foi de perruche, on change de conjoint en moyenne une fois par an.

Guêpier malgache

Tsoungouri ou Tsicourcouric

Merops supreiliosus

C'est un oiseau de taille moyenne, 27 à 33 centimètres. Sa longue queue est souvent le meilleur indicateur pour l'identifier. De plus près tu remarques de belles nuances vertes métallisées et une tache rousse sous le bec. Il passe ses journées à l'affût sur une branche bien dégagée ou un fil électrique d'où il fait de brefs allers et retours pour attraper des insectes en vol. C'est un oiseau grégaire. À Mayotte, en dehors de la saison de reproduction, tu le verras souvent en groupe de dix à trente individus alors qu'en période de nidification les groupes dépassent rarement trois à quatre couples. Son chant est caractéristique, il égraine des séries de tuip-tuip plus ou moins rapprochés. Il est loquace toute l'année. En période de reproduction on voit souvent le mâle offrir une proie à sa femelle. De septembre à janvier, pour la nidification, il recherche des talus de terre dans lesquels il creuse une galerie d'un mètre de profondeur. Il y pond deux à trois œufs. On le rencontre fréquemment sur toute l'île. On dit que c'est un endémique du Canal de Mozambique dans la mesure ou il ne vit que dans les Comores, Madagascar et les côtes orientales de l'Afrique.

Les falaises artificielles

sous forme de boue dans le lagon.

Foudi malgache (Cardinal)

Veru ou Foudy

Foudia madagascariensis

De petite taille, 13 à 14 centimètres, cet oiseau est très commun. Il tire son second nom, Cardinal, de sa couleur rouge pourpre qui est semblable à celle de la robe des adjoints du Pape, les cardinaux.
Il est présent dans toute l'île. Tu le verras plus souvent dans les campagnes et les forêts sèches que dans les forêts d'altitude. Il est peu farouche, tu l'approcheras facilement. Par contre, tu auras beaucoup de mal à voir les femelles car elles sont de couleur brune avec quelques taches plus foncées. Ses cris et son chant sont aigus et sonores, on l'entend de loin. Il est loquace toute l'année.
C'est un granivore. Il se nourrit principalement de graines mais ne dédaigne pas, à l'occasion, un insecte ou une petite baie.
Le foudi construit son nid à faible hauteur, un à trois mètres, dans les arbustes. Il est constitué d'herbes entrelacées grossièrement.
L'ouverture latérale, légèrement vers le haut, rend ce nid facilement reconnaissable. Il pond trois à quatre œufs entre les mois de septembre et de mai. En dehors de cette période il se regroupe en bande, on dit qu'il est grégaire. Plusieurs dizaines d'individus se nourrissent ensemble et dorment en dortoir.
Il vit dans toutes les îles de l'ouest de l'Océan indien.

Suis-je un oiseau rare ?

Nous, les mâles, on change de costume deux fois par an. En septembre, quand commence la saison des amours, on met le rouge vif. Ce n'est pas du tout de la coquetterie, c'est à cause de nos femmes. Elles refusent de se marier si on n'est pas en rouge. En mai, quand on commence à se reposer, on met notre costume brun. C'est une couleur de sécurité car l'épervier nous voit moins bien et a plus de difficultés à nous attraper pour nous manger.

Foudi de Mayotte
Veru ou Foudy
Foudia eminentissima

De petite taille, 14 à 15 centimètres, cet oiseau est peu commun. Il est présent sur les côtes Est et Sud. Tu le verras dans les campagnes, quelquefois dans les forêts sèches, jamais dans les forêts d'altitude. Il est peu farouche, tu l'approcheras facilement. Par contre, tu auras beaucoup de mal à voir les femelles car elles sont de couleur brune avec quelques taches plus foncées. Ses cris et son chant sont aigus et sonores, on l'entend de loin. Il est loquace toute l'année. C'est un granivore. Il se nourrit principalement de graines mais ne dédaigne pas, à l'occasion, un insecte ou une petite baie. Le foudi construit son nid à faible hauteur, un à trois mètres, dans les arbustes. Il est constitué d'herbes entrelacées grossièrement. L'ouverture latérale, légèrement vers le haut, rend ce nid facilement reconnaissable. Il pond trois à quatre œufs entre les mois de septembre et de mai. En dehors de cette période, il se regroupe en bande, on dit qu'il est grégaire : plusieurs dizaines d'individus se nourrissent ensemble et dorment en dortoir. Il ne vit qu'à Mayotte, c'est un endémique de cette île.

Tous les spécialistes

[illegible]

très ferme, des oiseaux les plus rares au monde.

Bulbul noir
Niantsole, Gnantsolé ou Tsoucourevaga
Hypsipetes madagascariensis

De taille moyenne, 23 à 24 centimètres, le bulbul est un oiseau très commun. Tu l'apercevras souvent en bande bruyante de quatre à dix individus. Il est très loquace toute l'année. Dans les jardins, les friches, les "campagnes" et les forêts, tu le reconnaîtras facilement à sa tête foncée, son bec orangé et son ventre clair. Il est peu farouche. C'est un omnivore, il aime les baies, les petits fruits sauvages et surtout les insectes et leurs larves. Il vit dans tous les milieux de l'île, secs ou humides, depuis les bords de mer jusque sur les sommets. Il se déplace souvent dans les arbustes, à faible hauteur. Pour chanter, pendant la saison de nidification, il s'installe sur une branche isolée. Il est alors très repérable. Son nid est fait de brindilles et d'herbes sèches. Il est souvent semi-suspendu dans une fourche. Il pond deux à trois œufs entre septembre et décembre. Ce bulbul vit à Mayotte, dans les trois autres îles des Comores, à Madagascar et à Aldabra. Il a beaucoup de cousins en Afrique, aux Seychelles, à la Réunion et à Maurice, mais ce sont des espèces différentes. Il a un cousin qui vit, depuis peu, en Petite Terre : le Bulbul orphée. Ce dernier a été récemment introduit parce qu'il s'est échappé des cages où il était retenu comme animal de compagnie.

Le chat volant

Si tu entends des miaulements de chat dans les arbres à l'aube et au crépuscule, tu étonneras tes parents et tes copains en leur faisant découvrir que c'est un oiseau : le Bulbul noir.

Bulbul orphée
Pas de noms locaux
Hypsipetes jocusus

De taille moyenne, 19 à 21 centimètres, ce bulbul est un oiseau très rare. Il ne vit qu'en Petite Terre. Il est arrivé très récemment de la Réunion en cage comme animal de compagnie. Tu l'apercevras en bande bruyante de quatre à dix individus dans le "jardin de la Préfecture".
Peu farouche mais méfiant, il est très loquace toute l'année. Tu le reconnaîtras facilement à sa huppe qu'il tient toujours dressée sur sa tête.
C'est un omnivore, il aime les insectes et leurs larves mais surtout les fruits et les graines des plantes cultivées. Le Bulbul orphée fait son nid dans les arbustes à trois ou quatre mètres de hauteur.
Il utilise toutes sortes de matériaux, feuilles, radicelles, toutes petites brindilles, vieux papiers et plastiques. Il pond trois à cinq œufs entre septembre et décembre.
Ce bulbul vit à Mayotte, à la Réunion et à Maurice. Ce n'est pas un oiseau de l'Océan Indien. Il est originaire de l'Inde.

Alerte rouge chez les tomates

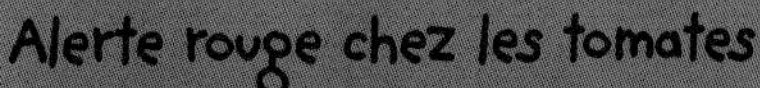

à dire que cet oiseau est une peste.

Moineau domestique
Pas de noms locaux
Passer domesticus

De petite taille, 13 à 14 centimètres, le Moineau domestique est un oiseau commun en Petite Terre. En Grande Terre on ne le trouve, pour l'instant, qu'entre Longoni et Dembeni. Tu ne l'apercevras que dans les villes et les villages. Il est impertinent au point de venir manger sous les tables des restaurants.
Le moineau domestique est bavard toute l'année. Il n'a pas de chant mais pousse en permanence des petits cris du style : chri-chri ou chips-chips.
Tu le reconnaîtras facilement car c'est le seul oiseau de Mayotte qui se promène par terre en ville et au milieu des gens. Le mâle a des couleurs plus vives que la femelle qui ne possède pas de tache noire en guise de cravate.
À l'origine, c'est un granivore. Mais, en s'adaptant aux villes, il s'est habitué à la nourriture des hommes, miettes de pain, grains de riz cru ou cuit, manioc cuit, etc.
Le moineau se reproduit toute l'année. Il fait son nid sous les toitures, dans les réverbères d'éclairage public ou toute autre cavité. Il pond quatre à six œufs et si la nourriture est abondante, il peut faire deux nichées par an.
C'est un oiseau d'origine européenne qui a conquis toutes les villes du monde.

Les bons coins

À Dzaoudzi comme à Mamoudzou, les embarcadères de la barge sont des endroits géniaux. Les hommes, quand ils attendent le bateau, sont toujours en train de grignoter des sambosses, du pain, des cacahuètes… et ils font tomber plein de miettes au sol. Nous, on passe derrière et on se régale !

Martinet des palmes
Ndréma-wili ou Fanihi-chacoué
Cypsirius parvus griveaudii

De petite taille, 17 centimètres, cet oiseau a une envergure exceptionnelle, 40 centimètres !
C'est le roi des voiliers de Mayotte.
Tu le verras presque toujours en vol car il ne se pose que le soir pour dormir dans les cocotiers. À cette occasion il se regroupe en petites colonies de quinze à quarante individus.
Il crie en vol en émettant une sorte de zréizréizréi... Il est loquace toute l'année. C'est un insectivore strict.
Il se nourrit uniquement en vol.
Le Martinet des palmes construit son nid à grande hauteur dans les vieux cocotiers.
Ce nid est constitué de plumes collées entre elles avec de la salive. Il est accroché à la partie inférieure d'une palme. Le martinet des palmes pond deux à trois œufs entre les mois de septembre et de décembre.
Cet oiseau est présent à Mayotte, où il n'est pas fréquent, dans les trois autres îles des Comores et à Madagascar.

elles avec de la salive. Il est
accroché à la partie inférieure
d'une palme. Le martinet des palmes pond deu
les mois de septembre et de décembre.
Cet oiseau est présent à Mayotte, où il n'est pas
autres îles des Comores et à Madagascar.

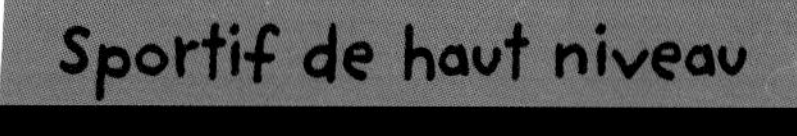

Sportif de haut niveau

à leur portée.

Martin pêcheur malachite
Moinatse, Msumgamro ou Bintsi
Corythornis vinsioides

De petite taille, 15 centimètres, le Martin pêcheur est un oiseau commun.
Tu l'apercevras toujours seul, perché sur une branche au bord d'une rivière ou sur un rocher surplombant le lagon.
Il est assez silencieux et ne pousse ses petits cris aigus (sriii-sriii-sriii) que lorsqu'il est près de son nid à la saison de reproduction.
Tu le reconnaîtras facilement à son ventre orange vif et son dos bleu métallisé. Il est craintif à première vue mais, si tu es patient et immobile, tu le verras revenir sur le perchoir dont tu l'as dérangé par ta venue.
C'est un piscivore, il se nourrit principalement de petits poissons. À l'occasion il peut se rabattre sur des insectes ou des crustacés. Il vit dans tous les milieux aquatiques de l'île, plages, bords de torrents et mangroves. Pour faire son nid, il creuse une galerie de quarante à cinquante centimètres de profondeur dans les talus de terre meuble. En général l'entrée de la galerie est dissimulée par des branches ou des racines. Il pond cinq à six œufs entre octobre et mars. Mâle et femelle se relaient pour la couvaison.
Le Martin pêcheur malachite vit à Mayotte, dans les trois autres îles des Comores et à Madagascar. Il a beaucoup de cousins en Afrique et dans le monde entier.

Où est Anjouan ?

Autour de Sada les habitants disent que le Martin pêcheur t'indique toujours, avec son bec, la direction d'Anjouan lorsque tu le rencontres sur la plage. Ce n'est ni vrai ni faux. En réalité dès qu'il t'aperçoit, il se tourne vers le large pour pouvoir fuir s'il le faut, et, à Sada quand on regarde vers le large on voit Anjouan par beau temps...

Moucherolle
Bandrame ou Chiketri
Terpsiphone mutata

De petite taille, 17 à 18 centimètres (sans la queue chez les mâles), cet oiseau est considéré comme l'un des plus beaux de l'Océan Indien.
Le mâle a deux particularités. D'une part il peut être roux et noir ou blanc et noir et d'autre part les deux plumes centrales de sa queue peuvent atteindre 20 centimètres de long. La femelle est toujours rousse et noire.
Tu l'apercevras dans les buissons et les arbustes. Il est peu farouche mais se déplace constamment.
À la saison des amours il a un chant flûté et mélodieux.
Le reste de l'année, il a un cri rugueux, trètre-trètrère.
La moucherolle préfère la forêt humide mais on peut la retrouver dans d'autres biotopes.
C'est le cas de la forêt sèche de Saziley ou de campagnes qui ne sont plus cultivées depuis quelques années.
C'est un oiseau insectivore qui chasse à l'affût. Il attend, posé, qu'un insecte passe et l'attaque en vol avant de se remettre aux aguets sur un autre perchoir. Ses chasses peuvent être assez acrobatiques.
Il fait son nid assez bas dans les arbustes, parfois à moins d'un mètre du sol. C'est une coupe de feuilles sèches et de mousse dont l'intérieur est garni de matériaux fins et doux.
Il pond deux à trois œufs entre les mois d'août et de janvier.
Il vit dans les quatre îles des Comores et à Madagascar. À Mayotte, la moucherolle est fréquente sans toutefois être commune.

Souïmanga de Mayotte
Mwanatsi ou Sui-sui
Nectarina coquerelii

C'est le plus petit oiseau de Mayotte, 10 centimètres et encore, dans cette longueur, il y a 2 centimètres de bec !
Il est très fréquent.
Tu le verras souvent dans les jardins où il y a des fleurs. Il ne peut pas vivre loin d'elles car il se nourrit principalement de nectar. Il lui arrive, de temps à autre de becqueter un insecte. Il n'est pas farouche et se laisse approcher à peu de distance lorsqu'il butine les fleurs. Le souïmanga est constamment en mouvement car il a besoin de manger très souvent du fait de sa petite taille, on dit qu'il a un métabolisme rapide.
Il est le seul, à Mayotte à être capable de voler en marche arrière. Son chant mélodieux est émis à la saison des amours. Tout le reste de l'année il pousse des petits cris aigus de contact.
Il construit son nid d'herbe sèche et de mousse en bout de branche. La ponte, deux œufs en général, a lieu entre les mois de septembre et de décembre.
Il ne vit qu'à Mayotte, c'est un endémique de l'île.

On me traite de colibri !!!

Les mzungus m'appellent "le colibri". Ils ne savent pas ce qu'ils disent et, de plus, sont très désobligeants. Quand même, on fait dix centimètres de long et pas cinq ou six comme ces nains d'Amérique dont le nid n'est pas plus grand qu'une cuillère à soupe ! On n'est pas des nains de jardin ! Eh, les mzungus, soyez ornithologiquement corrects !

Spermète à capuchon
Dzimwajimwa, Gnantsangoe ou Tsipritiki
Loncura cucullata

C'est un petit oiseau, 11 à 12 centimètres.
Il est peu fréquent et discret. Tu le verras souvent dans les jardins où il y a des graines et dans les campagnes côtières.
À Mamoudzou, tu le trouveras dans les jardins du Vice Rectorat.
La Spermète à capuchon est grégaire, elle vit en bande de six à quinze individus. Elle n'est pas farouche et se laisse approcher à peu de distance. Elle se déplace depuis la cime des arbres jusqu'au sol pour trouver les graines dont elle se nourrit principalement. Pendant la saison de reproduction elle se nourrit aussi d'insectes. Son chant mélodieux est émis, avec parcimonie, à la saison des amours. Le reste de l'année elle pousse des petits cris aigus de contact. Elle construit son nid dans les hautes herbes. La ponte, trois à quatre œufs en général, a lieu entre les mois de septembre et de mars. Elle vit en Afrique et dans les Comores.

Zosterops de Mayotte
Chilapoutou, Gnantrouga ou Chiberi
Zosterops maderaspatana

De très petite taille, 10 à 11 centimètres, cet oiseau est considéré par les foundis des oiseaux comme une des merveilles de Mayotte car aucun de ses huit cousins de l'Océan Indien n'a des couleurs aussi vives. Tu l'apercevras souvent en groupe dans les buissons et les arbustes. Il est peu farouche mais se déplace constamment.
À la saison des amours il chante harmonieusement depuis des perchoirs bien en vue. Le reste de l'année, il a un cri aigu, tsé-tsé-tsé... qu'il pousse constamment.
Le zosterops aime les milieux arbustifs, il évite la forêt humide. Les individus qui se sont installés dans les lotissements se laissent approcher à moins de deux mètres.
C'est un omnivore qui alterne entre les insectes, les petits fruits et le nectar. Il est toujours en mouvement.
Il fait son nid entre quatre et six mètres du sol.
C'est une coupe profonde de graminées sèches.
Il pond deux à trois œufs entre les mois d'octobre et d'avril.
Il vit dans les quatre îles des Comores, mais à Mayotte il s'agit d'une sous-espèce endémique.

Les opticiens s'interrogent

Tous mes cousins ont comme une paire de lunettes blanches autour des yeux.
À la Réunion, on m'a même donné le nom de "zoiseau-lunette".
Certains opticiens, les hommes qui vendent des lunettes, ont même un moment songé à donner notre nom à leur magasin.
Il faudrait dire à ces commerçants que ce n'est pas notre nom qu'il faut utiliser mais notre image !

Bibliographie :

LA FAUNE TERRESTRE DE MAYOTTE

Michelle Louette

Musée Royal de l'Afrique Centrale, 1999

Tervuren, Belgique

BIRDS OF THE INDIAN OCEAN ISLANDS

Ian Sinclair et Olivier Langrand

Struik, 1998

BIRDS OF KENYA AND NORTHERN TANZANIA

Dale A. Zimmerman, Donald A. Turner, David J. Pearson

Russel/Friedman Books, 1996

OISEAUX DE LA RÉUNION

Kenneth Newman, 1993

1 Corbeau pie
2 Héron à dos vert
3 Courol malgache
4 Faucon pèlerin
5 Épervier de Mayotte
6 Poule d'eau
7 Talève d'Allen
8 Pigeon des Comores
9 Founingo des Comores
10 Tourterelle du Cap
11 Tourterelle peinte
12 Pigeon biset domestique
13 Effraie
Petit duc de Mayotte 14
Mainate 15
Drongo de Mayotte 16
Inséparable à tête grise 17
Guêpier malgache 18
Foudi malgache 19
Bulbul malgache 20
Bulbul orphée 21
Moineau domestique 22
Martin pêcheur malachite 23
Moucherolle 24
Souïmanga de Mayotte 25
Zosterops de Mayotte 26